自然侦探团
ZIRAN ZHENTANTUAN

蝉的秘密
はじめて見たよ！セミのなぞ

U0337345

目录

黑日宁蝉与赤松······6

黑日宁蝉的羽化······8

胡蝉的生活······12

蝉的尿，是不脏的吗？······14

胡蝉，是什么样的蝉？······16

雄蝉的求偶行为······20

雄蝉的误会？······22

胡蝉的产卵······24

寻找产卵的痕迹······26

胡蝉的卵······28

胡蝉的孵化······30

若虫开始孵化了······32

寻找土里的若虫······34

在家里观察蝉的羽化······38

观察城市公园里的蝉······40

日本美丽的蝉······46

日本西部城市中蚱蝉增多······48

蝉的天敌······52

日本最小的蝉——姬草蝉······58

胡蝉之谜······62

[日]新开孝/著　光合作用/译　博得自然/审订

湖南科学技术出版社

在院子里的樱花树上鸣叫的胡蝉

我家的树林里住着 3 种蝉。6 月的下半月蟪蛄先出现，到了 7 月的下半月是胡蝉，8 月中旬是松寒蝉，它们从初夏开始依次登场。

蟪蛄和松寒蝉的鸣声和身影都比较多。

但是胡蝉非常少，一个夏天里也只能找到那么几个蝉蜕。

2

不过，市内的寺庙和公园里，却有很多胡蝉。

市内都没长什么植物，昆虫的种类也少。

尽管如此，市内的公园和寺庙里的胡蝉就是多，

而我家的树林里就是少，这是为什么呢？

初夏最先登场的蟪蛄

8月中旬登场的松寒蝉

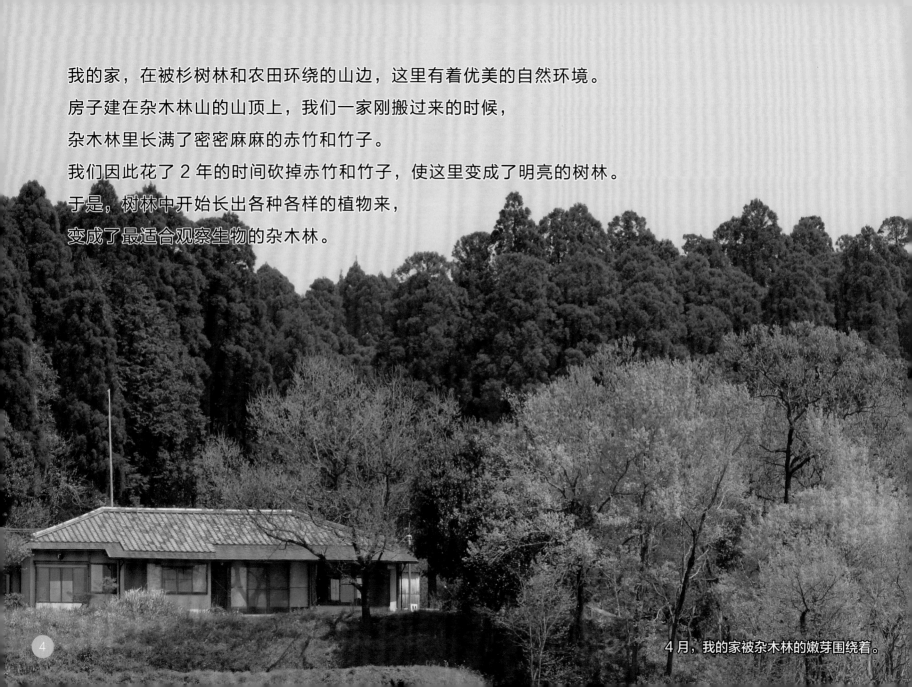

我的家，在被杉树林和农田环绕的山边，这里有着优美的自然环境。

房子建在杂木林山的山顶上，我们一家刚搬过来的时候，

杂木林里长满了密密麻麻的赤竹和竹子。

我们因此花了 2 年的时间砍掉赤竹和竹子，使这里变成了明亮的树林。

于是，树林中开始长出各种各样的植物来，

变成了最适合观察生物的杂木林。

4 月，我的家被杂木林的嫩芽围绕着。

用锯子砍伐赤竹和竹子，
是个很费时间的体力活。

种植香菇用的菇木朽烂后，回归成土壤。
独角仙开始在那里产卵，让幼虫在里面成长。

4月，耸立在西北角上的雾岛山。

为什么胡蝉在市内的公园和寺庙里更多呢？

为了着手探寻这个谜团，我决定去看看春季最先出现的黑日宁蝉。

我家位于日本宫崎县南部的三股町。

家的西北方向，距离约 40 千米远的地方，耸立着雾岛山。

雾岛山里"住"着很多黑日宁蝉。

黑日宁蝉与赤松

黑日宁蝉也是在最早的季节里出现的蝉。

栖息的地点，是黑松与赤松夹杂的树林。

雾岛山下河滩的自然散步道很好走，赤松也多。

5 月 1 日，我去寻找了蝉蜕，先看看蝉有没有开始羽化。

梅花鹿磨角的痕迹

木通

茜堇菜

金兰

黑日宁蝉常常在树较低的位置羽化。

将视线对准到那个高度，把树枝和树干都看一遍，

发现树干纵向有好几道像是擦出来的条纹。

赤松的树干上，沿着条纹渗出了白色的树胶，

这是梅花鹿的雄鹿磨角留下的痕迹。

在距离地面一二米的高度，不断发现了蝉蜕，

我感受到了春天的热闹。

松林里发现的日本盲蛇蛉

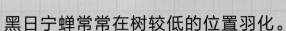

黑日宁蝉的羽化

因为发现了 7 个蝉蜕，

我决定第二天去观察黑日宁蝉羽化的过程。

黑日宁蝉的羽化，

从上午一直到傍晚都可以观察到。

下午 2 点 50 分
赤松的树干上，
有黑日宁蝉若虫在缓慢向上爬。

下午 4 点 10 分，
黑日宁蝉若虫后背鼓起，
羽化开始了。

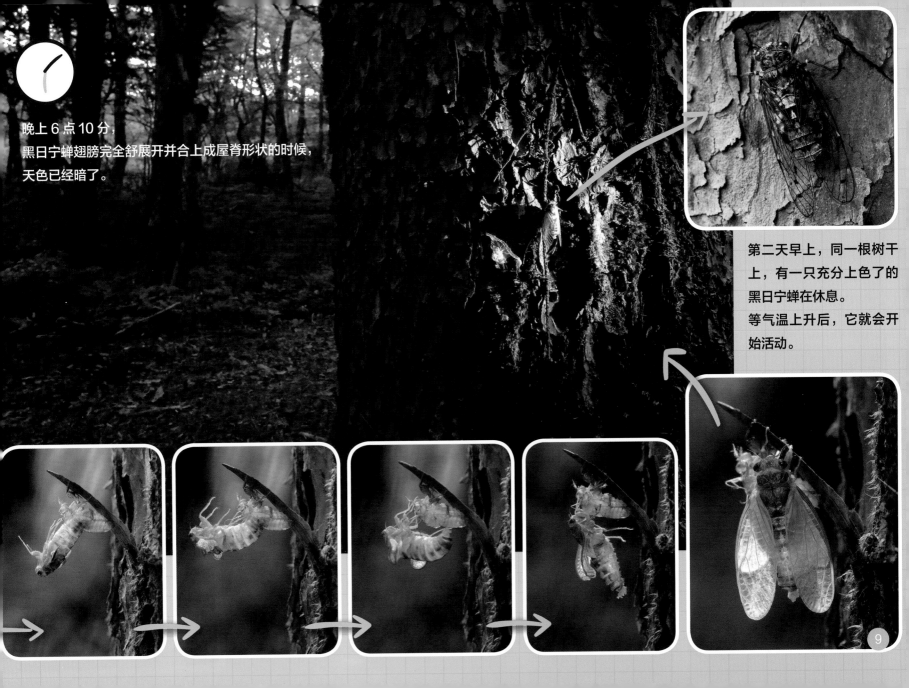

晚上 6 点 10 分，
黑日宁蝉翅膀完全舒展开并合上成屋脊形状的时候，
天色已经暗了。

第二天早上，同一根树干上，有一只充分上色了的黑日宁蝉在休息。
等气温上升后，它就会开始活动。

雾岛山从 5 月中旬开始，被九州杜鹃那鲜艳的花色染紫。
有很多人前来这里观光。

微微冒汗的春日里，"呗唝呗唝吱——吱——吱——♪"
这种轻快的鸣声在松林里回荡。
拍摄黑日宁蝉的地点，在海拔 1200 米一带。
这个地方，即使到了夏天也几乎听不到胡蝉的鸣声。

"呗唝呗唝吱——
吱——吱——♪"

在赤松上热烈鸣叫的雄性黑日宁蝉

胡蝉的生活

说到离我们最近的蝉，那就是胡蝉了。

胡蝉会停留在樱花树或榉树等的树干上，
一动不动地保持很长时间。

仔细看，原来它正将嘴上的细长"吸管"（口
针）插进树干中。

蝉的食物，是树木中流动的汁液。

树木通过根，把土壤中的水分和养分吸收上来，
然后叶片会利用吸收的水和二氧化碳、阳光，制
造出淀粉。

淀粉会转换成溶于水的物质，变成养分。

树的汁液中，含有水分以及从叶片和根那儿
搬运来的养分。

胡蝉为了吸到这些汁液，需要把"吸管"插得
很深。

在公园、寺庙和院子等的树上可以看到的胡蝉

在樱花树上用餐中的胡蝉
（8 月）

胡蝉将管状的喙[1]垂直插入树的表面，看起来正在吸取汁液。实际上，它的喙只是碰到树表而已，并没有插入树干。它其实是从喙的里面伸出口针，将口针刺入了树干。

1 喙是指蝉的口器。详见第 19 页。

蝉的尿，是不脏的吗？

想要捕捉蝉而靠近它的话，

受惊的蝉会一飞而起，同时，

"滋——"

还会撒泡尿。

它在吸取树的汁液时，

也时常"滋——"地

喷尿出来。

它的尿的成分大部分是水。

树的汁液中所含的养分，

是微乎其微的。

蝉的尿与人或狗的相比，

成分是完全不同的。

受惊后飞走的雄性胡蝉。为了拍到它撒尿的样子，我悄悄地靠近，右手举着相机，用左手"砰"地敲了一下树干。

蝉飞起时撒尿的原因，
虽然有说法是为了减轻体重，
不过好像是因为它的肌肉被起飞
的动作所带动而撒尿的。

"滋———"

胡蝉，是什么样的蝉？

油纸

胡蝉的特征，无论怎么说，

也是那褐色的翅膀。

实际上，拥有褐色翅膀的蝉，

在全世界也是少有的。

有种说法是因为这褐色的翅膀像油纸，

所以胡蝉又被称为"油蝉"。

此外，也有说法是，

雄蝉那"嗞里嗞里嗞里嗞里♪"的鸣声，

像极了油沸腾时的声音，

所以胡蝉又被称为"油蝉"。

难怪在酷暑中听到胡蝉传来的鸣声，

让人觉得更加热得难受。

"嗞里嗞里嗞里嗞里♪"

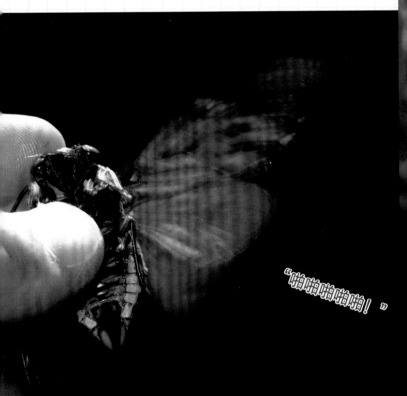

"啪啪啪啪啪！"

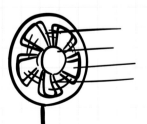

胡蝉拍打翅膀的力气很大，

捉住后拿到脸边，

简直就像小型电风扇。

来看一下雄蝉的腹部吧。
上面有左右 2 片像团扇一样的腹瓣，
而雌蝉的就小得不起眼，
这个腹瓣使胡蝉发出的声音带有变化。

胡蝉的复眼和单眼

在大的复眼中间，
有3个小的单眼。
据说复眼是用来辨认形状，
单眼是用来感知亮度的。

复眼　　单眼　　复眼

前翅

后翅

雄性胡蝉的腹瓣

腹瓣

腹瓣

胡蝉腹瓣的里面，藏着V字型的
粗壮肌肉——"发音肌"。
发音肌微微地快速收缩，
从而振动"发音膜"，发出声音。

胡蝉的腹部剖面

发音肌振动像鼓皮一样的发音膜，
并让所发出的声音通过腹部的空洞
传出，成为响亮的鸣声。

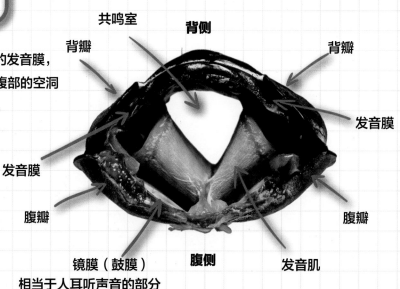

共鸣室　　背侧

背瓣　　　　　　　背瓣

发音膜

发音膜

腹瓣　　　　　　　腹瓣

镜膜（鼓膜）　　腹侧　　发音肌
相当于人耳听声音的部分

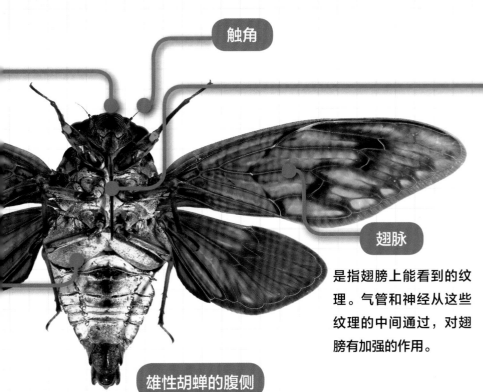

触角

翅脉

是指翅膀上能看到的纹理。气管和神经从这些纹理的中间通过，对翅膀有加强的作用。

雄性胡蝉的腹侧

胡蝉的口器的结构

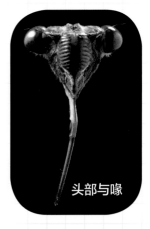

头部与喙

在胡蝉的粗喙中，
有着细长的口针。
把喙垂直顶在树上，
口针就会伸出并刺入树干内。
口针像是双层吸管一样的管子，
可以将树的汁液吸上来。

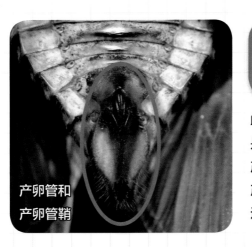

产卵管和
产卵管鞘

雌性胡蝉的尾部

雌蝉的特征，
是尾部的产卵管。
产卵管平时藏在像保护套一样的产卵管鞘里，
通常只看得见它的根部。

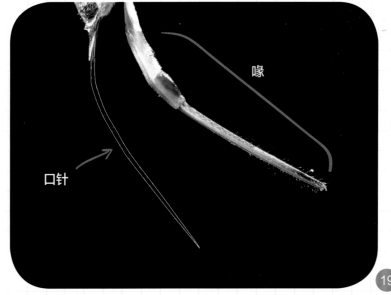

喙

口针

19

雄蝉的求偶行为[1]

在楝树的树干上，有 2 只胡蝉并排停着。

我试着不惊动它们，悄悄地靠近。

（2010年8月10日下午2点9分）

雄蝉　　雌蝉

雄蝉　　雌蝉

我在距离它们 1 米左右的地方，观察它们的动向。

左边的雄蝉一边发出招引的鸣声，一边慢慢地挪向雌蝉。雌蝉会有什么反应呢？

当雄蝉的足尖碰到雌蝉的翅膀时，雌蝉像是要离开雄蝉，一点一点地向右爬开。

我想继续看看它们会不会交尾。但是过了一会儿，雌蝉就飞走了。据说如果雌蝉交尾过一次，之后就不会再交尾了。有可能这只雌蝉已经交尾过了。

这种场面我看到过很多次，但交尾开始的瞬间却还没见过。

1 求偶行为是指为了交尾，雄性向雌性或雌性向雄性做出的用来吸引对方的行为。

雄蝉　　　　　雌蝉

在落羽杉的树干上我曾发现
一对交尾中的胡蝉。
第二年，在同一地点几乎相
同的时间，
看到了一对交尾的胡蝉。
（8月25日晚上6点9分）

斑透翅蝉的交尾，
我曾在上午观察到过。
（8月2日上午10点50分）

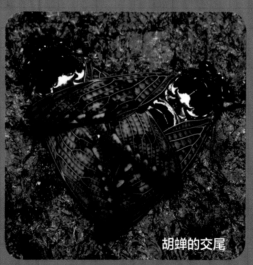

胡蝉的交尾

斑透翅蝉的交尾

根据对螽蟖的已有研究，我们知道，它们常在中午交尾，其他的蝉似乎也都会在各自鸣叫的时间段里进行交尾。
例如，蟪蝉是在清晨，蚱蝉是在上午。胡蝉虽然在中午也鸣叫，但傍晚叫得最热烈。
交尾会持续多长时间等相关的情况目前知道得还不是很多。

哎嘿

雄蝉的误会?

雄蝉 1

在鸡爪槭上叫个不停
的**雄蝉 1**。

雄蝉 2

雄蝉 1

① 从上面来了只**雄蝉 2**，
一边鸣叫一边慢慢爬下来。

雄蝉 2

雄蝉 1

② **雄蝉 2** 渐渐地
向**雄蝉 1** 靠近。

③ 雄蝉 1 用前足触碰了**雄蝉 2** 的身体。

雄蝉 1 好像误以为**雄蝉 2** 是雌蝉了。

雄蝉 1

雄蝉 2

雄蝉 2 像是生气了似的，

用前足捅了回去。

雄蝉 1 像是吓了一跳，飞走了。

雄蝉 2 重新开始了鸣叫。

"嗞里嗞里
嗞里嗞里♪"

雄蝉 2

胡蝉的产卵

雌性胡蝉在麻栎的树干上产卵（见右图）。

它有没有在产卵，看尾部就能知道。

很多时候因为被翅膀遮住了不容易看到，

但只要产卵管是向下伸出的，就是在产卵。

雌蝉一边轮番移动产卵管尖头上像锯子一样的锯齿，

一边缓慢地将产卵管刺入树枝或树皮中，

似乎是把全身的精力都集中在产卵管上。

产卵中的雌蝉

落羽杉的树干上有只雌性胡蝉。试着拽起它的身体，发现它已经死了，而产卵管仍然连在树皮上。

慢慢地拔出来，可以很清楚地看到产卵管。平时是无法这样观察的。

产卵管的尖头

蝉产卵的地点，不是鲜活的树木本身，而是枯枝或树皮等。

上页中胡蝉产卵的地点，是麻栎的树皮最外侧柔软的地方。

说是柔软，其实就算人用指甲用力刻，也只能造成轻微的凹痕而已。

螳蛄正在一枝黄花的
枯萎的高大茎秆上集体产卵。
这枝枯秆的硬度刚刚好，
并且在不远处生长着麻栎。

蚱蝉正在产卵的地点，
果然也是鸡爪槭的枯枝。

在枯枝或树皮等上面产卵，是有原因的。

如果在鲜活的树枝等上面产卵，树木会试图修复产卵所造成的伤口，从而把产在里面的卵给挤碎。

不过，根据种类的不同，也有不在枯枝上产卵而是在鲜活的树枝上产卵的。

寻找产卵的痕迹 🔍

蝉产过卵的地方，会留下产卵管扎入后的痕迹（产卵痕迹）。
胡蝉会以卵的形态过冬，在第二年的6月到7月孵化。
从8月的后半月到次年5月，在杉树的树干等地方比较容易找到。

从图中可以看出蝉是一边斜侧着移动，一边产卵的。
好像产了几排卵后，就往上或者往下移动了。

蝉产卵的地点是多种多样的，甚至还有公园里的木桩、健身器械等，
木头做成的人工器具上也可以找到蝉产卵的痕迹。

在杉树的树皮上发现的产卵痕迹

木桩上的产卵痕迹

树皮是蝉产卵的地方。

我在胡蝉比较多的公园里，试着调查了棕榈树。

在棕榈树老化了的树皮上，

有着很多细小的洞。

洞太多了，以至于不太能分清楚

是不是胡蝉的产卵痕迹。

不过试着用刀轻轻地削掉一点树皮……

在棕榈树的树皮上发现的
产卵痕迹

里面有着像米粒一样雪白的卵。
里面的卵非常多，
以至于如果削得不够小心谨慎，
可能会把卵弄破。

棕榈树的老树皮，干燥而柔软，

简直就像软木一样，

可见，对于胡蝉而言，这是容易产卵的地方。

在这块树皮的纵向 30 厘米、横向 10 厘米的范围内，

有着数不清的产卵痕迹。

每一个产卵痕迹里，各有几个卵，

所以总的产卵数量应该有几百个。

顺便说一下，1 只雌蝉的产卵数量，

大约是 300 个。

27

胡蝉的卵

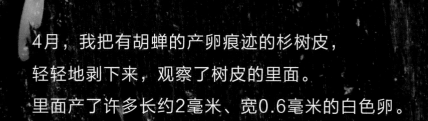

4月，我把有胡蝉的产卵痕迹的杉树皮，
轻轻地剥下来，观察了树皮的里面。
里面产了许多长约2毫米、宽0.6毫米的白色卵。

4月的卵

6月的卵

6月中旬，我看了看卵的状态。
和4月的卵相比，
它整体呈现出淡淡的黄色，
胡蝉眼睛的位置以及身体上的须毛等
也可以看得出来。
这样的卵只要被水润湿了，
在水的刺激下就会开始孵化。

胡蝉的孵化，
从多雨的梅雨季节开始。

即将孵化的卵

马上就要孵化的卵。
可以看出若虫的眼睛
以及若虫的身体了。

胡蝉的孵化 [1]

卵壳裂开，
若虫的身体冒了出来。

若虫身体出来一半左右之后，
蜕去紧紧包裹在身上的薄皮。

蜕皮之后，
可以看到触角和脚了。

1 孵化是指从卵中孵出来。

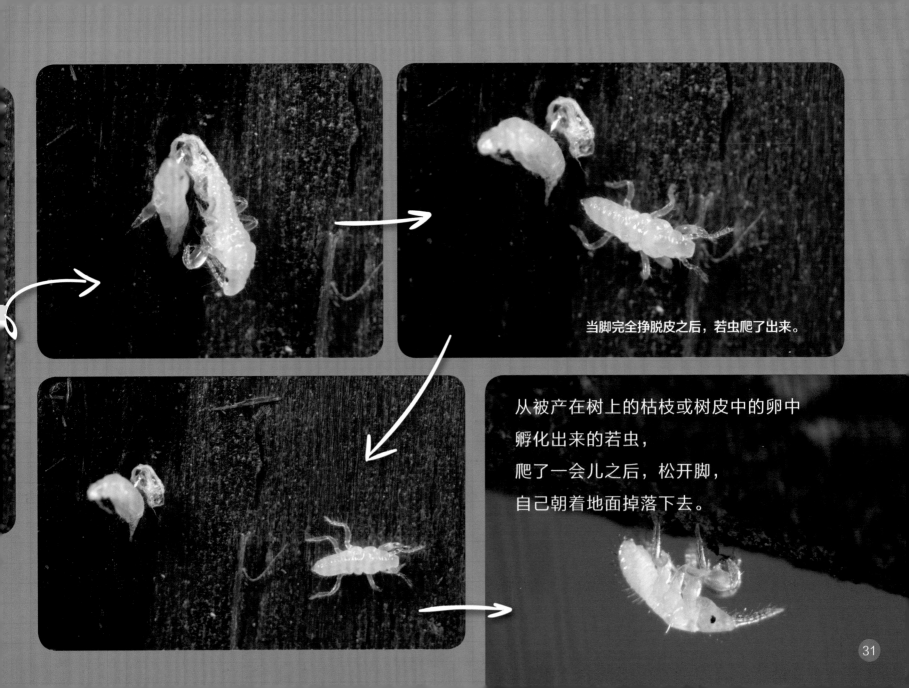

当脚完全挣脱皮之后，若虫爬了出来。

从被产在树上的枯枝或树皮中的卵中
孵化出来的若虫，
爬了一会儿之后，松开脚，
自己朝着地面掉落下去。

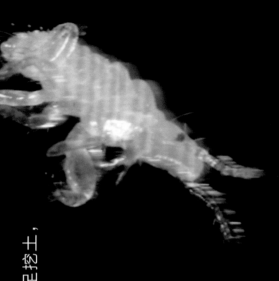

若虫开始孵化了

落向地面的若虫，大小约2毫米。

因为很轻，从高高的树上掉下来也没事。

若虫落到被雨淋湿的地面之后，

急忙往土里钻进去。

这时，它会用像铲子一样结实的前足挖土，

向土壤内部前进。

还有好多种类的捕食性昆虫¹正在打着若虫的主意。

只有能躲过这些危险并钻入土里的若虫，

才能存活下来。

在地面上等
着的天敌

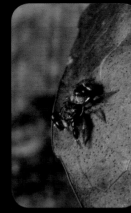

鳃蛤莫蛛

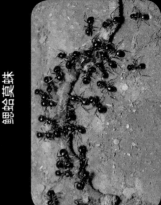

富士山毛蚁

蜈蚣

黑山蚁

家盘腹蚁

1 捕食性昆虫是指靠捕捉其他生物为食的昆虫。

寻找土里的若虫

我试着寻找藏在土里的若虫。

挖掘的地点是自家的树林里，2月、7月和9月共挖了3次。

蝉的若虫期，需要2年以上的漫长光阴，

所以不管在哪个季节挖，都能找到若虫。

幸好我家的树林是朝南的斜坡，

可以像修建台阶一样地挖。

这要是在平地上，就得向下挖，会很麻烦。

选择可能会有若虫的地点时，

最关键的是上方要有伸出的树枝。

因为若虫是在树上孵化，

然后掉落到地面上的。

用来寻找蝉的若虫的 7 种工具

若虫是靠从树根吸取汁液生存的，

所以从可能有树根的地方开始挖。

我在榉树的树根附近小心地挖下去，

以差不多挖 1 小时就能找到 1 只的概率，

找到了若虫。

挖起来虽然很累，但哪怕只找到 1 只也会很开心。

我试着把发现的若虫的信息汇总成了右边的表格。

	2013 年 9 月	2016 年 7 月	2017 年 2 月
胡蝉 5 龄[1]	1	0	1
松寒蝉 5 龄	3	7	1
蟪蛄 5 龄	2	0	2
不明种类 3 龄[2]	1	0	1
不明种类 4 龄 A	1	0	1
不明种类 4 龄 B	1	0	1

胡蝉的5龄若虫和不明种类的4龄若虫及3龄若虫。

5 龄若虫　　4 龄若虫　　3 龄若虫

挖到的若虫

1 蝉的若虫，刚孵化的若虫算作1龄，之后生长要反复蜕皮4次，分别算作2龄、3龄、4龄、5龄。5龄若虫会爬上地面进行羽化。羽化蜕下的皮就是5年若虫的蝉蜕。

2 蝉的若虫在5龄时可以分辨出种类，但4龄以下的若虫几乎无法识别。

在自家的树林里找到的蝉的若虫，
不分品种，
都在地下15厘米到20厘米深的地方。
我试着一直挖到了40厘米的深处，
但从20厘米开始往下更深的地方，
1只都没找到。

若虫会待在比自己的身体略大的地穴"小屋"里，
地穴"小屋"的墙壁上有树根穿过，
也就是可以从树根吸取汁液的地方。
地穴"小屋"的墙壁被压得很结实，
光溜溜的。

胡蝉若虫的地穴"小屋"

5龄末期的蟪蛄若虫，身体的表面会沾有泥土，
但同样是5龄若虫，未到末期的若虫身上就没有泥土。
为什么会沾有泥土？是怎么沾上的呢？这是个谜。

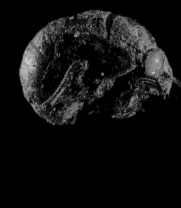

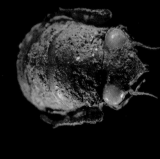

5龄初期的蟪蛄若虫。
不知道是不是因为刚蜕皮，
身上没沾上泥土。

5龄末期的蟪蛄若虫。
身上沾有泥土。

在家里观察蝉的羽化

晚上7点16分

在地面爬行的若虫

① 在观察用的树枝上选定牢靠的立足点后30分钟左右，蛹壳后背裂开，露出成虫的身体。

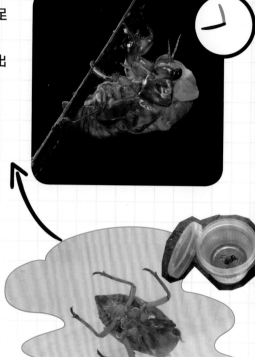
晚上11点44分

晚上7点20分

手上的若虫

"麻醉"若虫

把若虫沉到水里，过1分钟左右后它会像死了一样不再动弹。因为若虫被"麻醉"了。

把若虫从水里捞出来，放到刚好能容纳它的身体的狭小容器里，能将羽化时间最长推迟到第二天早上。不过，要在第二天早上9点之前，从容器里将其取出让它羽化。

沉到水里的若虫

晚上7点左右，我轻轻地捉了一只爬出地面的若虫，并将它带回家观察羽化的过程。

因为要想好好地观察这个过程，在家里会更容易操作。

装了水的用来带回家的容器

如果是带沥水功能的容器，会很方便把若虫捞出来。

从水里捞出后，过20分钟到30分钟，若虫就会醒来。

成虫仅将腹部末端留在蝉蜕里，倒挂着
一动不动地休息一会儿。

晚上11点58分

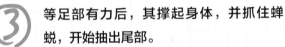 等足部有力后，其撑起身体，并抓住蝉
蜕，开始抽出尾部。

午夜12点12分

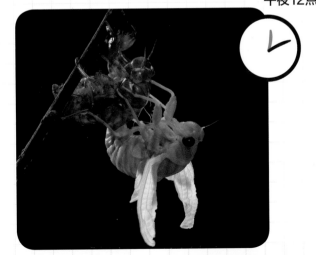

午夜12点18分

 悬吊在蝉蜕上，缩成一团的
皱巴巴的翅膀开始舒展。

午夜12点29分

翅膀虽然完全舒展开来了，
但还很柔软。
轻轻地对着吹气的话，
翅膀会随风摇摆。
之后，等翅膀变硬了，
就合上叠成屋脊形状。

观察城市公园里的蝉

2016年7月17日到7月19日。
胡蝉的鸣声开始变得多起来
的时候，
我在东京都的日比谷公园
观察了那里的蝉。

晚上6点30分

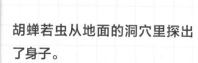

胡蝉若虫在打探外面的状况。

胡蝉若虫从地面的洞穴里探出
了身子。

公园的散步道和地面基本没有杂草，土壤是裸露着的，所以很容易找到蝉的若虫挖开的洞。

若虫的数量相当多，其中斑透翅蝉的若虫位居第二。

蟪蛄虽然也不少，但好像已经过了羽化的高峰期。

胡蝉若虫爬上榉树树干。

晚上9点

胡蝉在明亮的街灯附近羽化。

对于音乐演奏产生的巨大声响和街灯的明亮光线，蝉的若虫们毫不在意的样子令我感到惊讶，

并且再次惊叹胡蝉和斑透翅蝉的数量之多。

虽说公园里的树长得比较高大，但为什么会有这么多的蝉栖息在这里呢？

日比谷公园很大，被茂密的森林所覆盖。

公园里种了很多大树，树的种类也很多，有樱树、榉树、朴树、槭树、糙叶树、樟树、杉树、松树等大树，还有杜鹃、山茶等灌木。

这里对于蝉而言，若虫和成虫的食物都很丰富，产卵的地方也是要多少有多少吧。

公园的环境特征中，
特别让我注意到的是树下杂草很少、
土壤裸露的范围比较广。
对孵化后落到地面上的蝉的若虫来说，
袭击它的蚂蚁、蜘蛛和蜈蚣等天敌的
数量，在土壤裸露的地方应该要比长
满茂盛的植物的地方少吧。
树木茂密的枝叶遮住了阳光，
地面潮湿适中，
这也很适合若虫钻入地里。
因为如果地面干燥发硬，
若虫就钻不进去了。

日比谷公园
（7月）

大吴风草的叶片上、公园绿化带的各个地方等，都附着了很多胡蝉的蝉蜕。

蝉所栖息的地点基本取决于种类。

胡蝉在日本分布广泛，

以城市公园和庭院等地方居多，在山地就较少。

我家旁边的树林与公园和庭院相比，植物的种类和茂盛程度、

地面的状态等都不一样，可以说是更接近山地的自然林。

胡蝉喜欢的栖息环境究竟是什么呢？

看来，仔细观察公园和庭院的树林的状态，是很重要的。

每年有许多胡蝉羽化的公园

（宫崎县都城市·神柱公园 8 月）

乌桕树上聚集的胡蝉，

它们会在樱树、榉树、雪松等各种树上吸取汁液。

在日比谷公园等东京的市中心和周边的平地，
斑透翅蝉比较多。
斑透翅蝉也和胡蝉一样，分布很广。
不过，在九州的我家旁边的树林里，
只能偶尔听见斑透翅蝉的鸣声，
我暂时还没亲眼见到过。

交尾的斑透翅蝉，朝下的是雄蝉。
（东京都·清濑市 8月）

羽化的斑透翅蝉
（东京都·日比谷公园 7月）

实际上在日本西部，斑透翅蝉主要栖息在山里。
虽然不太清楚斑透翅蝉在日本西部栖息在山里的原因，
我认为也可能是为了与蚱蝉分栖共存。
斑透翅蝉与蚱蝉的鸣声，在人的耳朵听来音色完全不同，
但据说是有共同点的。

休息一下 ☕

日本
美丽的蝉

◆ **分类**
◆ **学名**
◆ **分布**
◆ **体长**

赤虾夷蝉

◆ 半翅目 蝉科
◆ *Auritibicen flammatus*

在蒙古栎上落脚的雌蝉（北海道栗山町 9 月）

◆ 北海道～九州
◆ 40 毫米左右

成虫于 7~9 月出现。在日本北海道和东北地区栖息在平地上，而从本州中部到西部地区，则栖息在海拔 600 米以上的山地、水青冈树林等自然林中。雄蝉会发出"嗞————♪"的鸣声。

端黑蝉

◆ 半翅目 蝉科

◆ *Vagitanus terminalis*

产卵中的雌蝉（冲绳县石垣岛 5 月）

◆ 宫古岛 / 八重山地区

◆ 19~27 毫米

成虫于 4~6 月出现。是一种栖息在日本南方岛屿上的蝉。它们栖息在长有蚊母树、秋枫、菲岛福木、楝叶吴萸等的树林里，雌蝉会在鲜活的树枝上产卵。在宫古岛等地，雄蝉会发出"悉——悉——♪"的蝉鸣，而在八重山地区，则发出"悉悉悉悉——♪"的蝉鸣。

日本西部城市中蚱蝉增多

山里面虽然没有蚱蝉，但在平地并且有很多人类居住的城市里就比较多。

据说从 1980 年前后开始，日本西部的城市中蚱蝉有所增多。

蚱蝉不仅是数量增多，并且它们的栖息地也确实在向东北扩大。

在我所居住的宫崎县三股町和邻近的大城市里，虽然有蚱蝉但比较少。

我拜访了九州最大的城市福冈县福冈市，试着观察了蚱蝉。

福冈市内的公园里，有很多蚱蝉。

上午，走在高楼林立的大街上，被"夏夏夏♪"的蝉鸣所包围，鸣声大得甚至不输给汽车的巨大嘈杂声。

在树木的低处也有蚱蝉，徒手就能抓到。

（2016年7月）

在高楼地段和道路两旁仅有的一点点绿化带里，也找到了许多蝉蜕。

福冈市内的行道树。绿化带的地面已经干透变硬了。

即使在这种地方，也有许多蚱蝉在成长、羽化。

这里还夹杂着少量的胡蝉。

（2016 年 8 月）

蚱蝉的增多，以及其分布向日本东北扩大的原因有很多，

地球变暖的影响也是可以考虑的因素。

蚱蝉不栖息在山中的自然林里，而是集中在城镇等人口密集的地方。

这些地方的地面被人为地整平，并且被踩实的地面很坚硬。

与其他蝉相比，孵化出来的蚱蝉若虫，从坚硬的地面钻入地里的能力好像要更胜一筹。

在蚱蝉增多的城市等地，不耐干旱的松寒蝉和螗蚗已经不见了踪影。

因为松寒蝉和螗蚗的若虫钻不进坚硬的地面。

蚱蝉的蝉蜕。
有很多蝉聚集在狭小的范围里羽化。
（爱媛县松山市 8月）

地下15厘米深处的
蚱蝉的5龄若虫
（宫崎县宫崎市 3月）

刚完成羽化的蚱蝉
（神奈川县三浦市城岛 8月）

蝉的天敌

栖息在自然中的蝉，有很多天敌。

从卵开始，到若虫期、成虫期，

分别有盯上蝉的生物。

在代代木公园里，以胡蝉、斑透翅蝉为首，
蝉的数量非常多，裸露的地面也很广，
所以正适合观察蝉的羽化。
（7月）

为了观察栗耳短脚鹎和乌鸦等

野鸟袭击蝉的场面，

我于 2016 年 7 月拜访了东京的代代木公园。

因为栖息在城市里的野鸟已和人类混熟，

比较容易靠近观察。

遗憾的是，没能看到捉住蝉的野鸟，

不过观察到了预料之外的东西。

被挖开的洞穴，
都呈椭圆形。

地面上，除了蝉的若虫爬出的洞穴以外，
还有好多地面被挖了个底朝天的痕迹。

夜行性的日本蟾蜍，经常会吃掉
从土里钻出来要去羽化的蚱蝉若虫。

大嘴乌鸦从土里拽出蚱蝉的若虫，

并且就这样一口吞了下去。

蚱蝉的若虫在羽化当天会潜藏到接近地面的下方，

然后挖一个小洞。

大嘴乌鸦一发现这种洞，

就会用大嘴去掏开。

除了蚱蝉以外，它还会吃蟋蟀的若虫。

对于土里的蝉的若虫来说，
它们的天敌除了鼹鼠等小动物以外，
还有菌类。
菌丝在若虫体内蔓延，
若虫养分被吸干后就会死亡。
我在挖掘寻找若虫的时候，
曾发现过感染了菌类而死的
黑漆漆的若虫。

被一种冬虫夏草——蝉针千本寄生后死去的斑透翅蝉。
束丝[1]像针一样从体内冒出来。

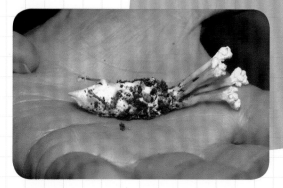

被蝉棒束孢寄生后死去的松寒蝉的若虫
（7月）

菌类对成虫而言，也是可怕的天敌。
被白僵菌寄生后死去的胡蝉。
粉状的东西是白僵菌的一部分。

成虫因为在地上活动，
所以除了菌类以外还有许多天敌。
鸟、蜘蛛、蜈蚣、蚜虫、
蜻蜓、蜂类等都是它们的天敌。

1 束丝是指制造菌类的生殖细胞、像丝一样连起来聚成束状的细胞。

即使没看到情景，当听到像惨叫一样的蝉鸣声时，就知道蝉大多是被螳螂袭击了。

如果这种蝉鸣声会移动，那是蝉被鸟袭击后，鸟叼着蝉在枝头飞来飞去。

被大食虫虻捉住、
并被吸食掉体液的蟪蛄

掉落在地面的蟪蛄的翅膀。
估计蟪蛄在树上不是被鸟就是被螳螂给
吃掉了。栗耳短脚鹎等在捕食翅膀是透
明的蝉时，会直接吃掉，但如果是翅膀
上有着深色花纹和色彩的蟪蛄及胡蝉，
它会把翅膀揪掉扔了。

遭到中华大刀螳捕食的胡蝉。
受到袭击的胡蝉雄蝉，
发出了激烈的鸣叫。

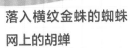

落入横纹金蛛的蜘蛛
网上的胡蝉

把喙插入蚱蝉的产卵痕迹中，
吸食卵内液体的日本羚螓。
卵的天敌还有蝉寄生蜂等
各种寄生蜂。

蝉寄生蛾不可思议的寄生生活

寄生在蟪蝉上的蝉寄生蛾的若虫。

它们虽然也会寄生在胡蝉、松寒蝉、斑透翅蝉上，

但寄生在蟪蝉上是最多的。

老熟的蝉寄生蛾若虫，身体表面会裹上一层绒毛

状的蜡质物质，所以从 7 月一直到 8 月，

它那白团子似的样子很显眼。

寄生在蟪蝉前胸的缝隙里的若虫

若虫把嘴贴在蝉的腹部的
关节膜之间，吸取体液。

寄生若虫头朝着蝉尾，
紧抓住蝉的5龄若虫不放。

虽然还不是很清楚蝉寄生蛾的若虫是如何到蝉的身体上的，

但是从卵孵化出来的蝉寄生蛾的若虫，

先是潜藏在蝉前胸的缝隙里，这从外面是看不见的。

随着生长，它们会移动到蝉的腹部背面。

为了确保在蝉飞起来时也不会被甩掉，这些若虫在蝉的身体表面布上了丝，并紧紧地抓住它们。

寄生的若虫数量有时也会多达 4、5 条。哪怕被多条若虫寄生了，蝉既不会衰弱，也不会死掉。

从茧里挺出半截蛹，并从中爬出来完成羽化的蝉寄生蛾的成虫
（9月）

长大后的蝉寄生蛾的若虫，会吐丝悬挂下来，离开蝉的身体。

蝉寄生蛾的若虫着陆到树枝或树下的杂草等上面后，缠绕起绒毛状的丝，织成茧。

日本最小的蝉——
姬草蝉

真实的大小！

在冲绳的许多岛屿上，栖息着日本最小的蝉——姬草蝉。

它从头到翅尖，只有20毫米。

姬草蝉栖息在明亮的草地，

吸取芒草和甘蔗等叶片的汁液。

即使靠近它，它也不会像其他的蝉那样迅速地逃走，

所以我们还可以悄悄地让它爬上手指。

姬草蝉发出的"嗞———♪"的鸣声持续时间很长，

与栖息在草地里的一类螽斯——

拟矛螽的鸣叫声很相似。

嗞

在禾本科植物的叶片上鸣叫的雄蝉

（冲绳县与那国岛 4 月）

翅脉 [1] 的颜色有绿色（左）和橙色（右）等多种颜色。

发音膜

雄蝉的发音膜可以
从背后看到。

1 翅脉是指翅膀上能看到的纹理。详见第19页。

姬草蝉的若虫，通过吸取芒草、甘蔗、白茅等根部的汁液长大。

我小心地挖开生长在悬崖上的白茅和芒草的根部，试着寻找若虫。

若虫的地穴"小屋"，在离地面大约10厘米深的地方。

将白茅的根部，从靠自己的一侧开始一点一点地刨开，小心地挖下去。

白茅的根系里有地穴"小屋"，在这里找到了 5 龄若虫。眼睛是红色的，身体也是胖胖的。

虽然是5龄若虫，但还未到末期。

眼睛发红的5龄末期若虫

在路边发现的姬草蝉的蝉蜕。
姬草蝉的羽化是在靠近地面的杂草丛生的低矮处进行的，
所以蝉蜕寻找起来比较困难。

胡蝉之谜

比起我家旁边靠山的杂木林，胡蝉宁愿在有着密集建筑物的城市里分栖共存，这好像是
因为胡蝉的特点是"喜欢土地平坦且明亮的地方"。

不过，也许有更微妙的环境条件，在我们看不见的地方起着作用。

不同种类的蝉，主要是鸣声的不同，会进行分栖共存。

分栖共存也许还有其他的原因。

总觉得有些不可思议。

说到不可思议，不得不说的是，蝉的若虫在数年的漫长光阴里，一直生活在土里。

有一种说法是因为它们从树或草的根部能获得的养分非常少，因此长大需要耗费很长的
时间。

然而，实际上又是如何呢？

也许还有更多各种各样的原因。

在地面上探出身体的胡蝉若虫

（8月）

在日本列岛上，栖息着35种蝉。

从北海道到冲绳，地点不同，出现的蝉也不同。

森林里生长着的树木的种类也是不同的。

不同种类的蝉，生存的方式也是形形色色。

即使是身边最近的胡蝉，还有很多尚不清楚的事情。

为了探索蝉的生活中的谜团，

书中所记载的信息也是很重要的。

不过，在解谜时，更重要的是，"用自己的五感，来感受蝉所生存的自然环境"。

对于蝉以外的各种各样的生物所发出的信息，也要广泛地留意。

为此，何不先试试重新仔细地观察公园和寺庙里的树林？

从离开房间走到户外开始吧。

感受踩在土地上时的柔软、触摸树木的坚硬、

透过叶片看到的太阳的光芒、听到河流的潺潺水声、闻到花的芳香……

就如同我们使用五感，我相信蝉一定也一样，

最大限度地使用它们的五感而活着。

新开孝

昆虫学家，昆虫摄影家。1958 年出生于日本爱媛县，毕业于日本国立爱媛大学农业部昆虫学专业。毕业后到东京，当过教育电影的导演助手等，后来成为自由昆虫摄影家，2007 年离开东京，移居宫崎县三股町。善于挖掘昆虫不可思议的生态和形态，同时还关注各种各样的动植物，除了具有昆虫摄影家独特的拍摄视角外，还擅长观察和发掘生物之间的关联。著有《一本通！凤蝶》《发现虫瘿》《后山的天蚕蛾——天蚕蛾纺织的绿色宝藏》《生啦！椿象》《虫痕图鉴》等图书。

图书在版编目（CIP）数据

蝉的秘密 /（日）新开孝著；光合作用译 . —长沙：湖南科学技术出版社，2021.12
（自然侦探团）
ISBN 978-7-5710-0960-1

Ⅰ.①蝉… Ⅱ.①新… ②光… Ⅲ.①蝉科—少儿读物 Ⅳ.① Q969.36-49

中国版本图书馆 CIP 数据核字（2021）第 076338 号

HAJIMETE MITAYO! SEMI NO NAZO
© TAKASHI SHINKAI 2017
Originally published in Japan in 2017 by SHONEN SHASHIN SHIMBUNSHA, INC.
Chinese (Simplified Character only) translation rights arranged with
SHONEN SHASHIN SHIMBUNSHA, INC.
through TOHAN CORPORATION, TOKYO.

中文简体字版由日本株式会社少年写真新闻社独家授权

CHAN DE MIMI
蝉的秘密

著　者：［日］新开孝
译　者：光合作用
出 版 人：潘晓山
责任编辑：李　霞　姜　岚　杨　旻
封面设计：有象文化
责任美编：谢　颖
出版发行：湖南科学技术出版社
社　　址：长沙市湘雅路 276 号
网　　址：http://www.hnstp.com
湖南科学技术出版社天猫旗舰店网址：
　　　　　http://hnkjcbs.tmall.com
邮购联系：本社直销科 0731-84375808

印　　刷：长沙市雅高彩印有限公司
　　　　　（印装质量问题请直接与本厂联系）
厂　　址：长沙市开福区中青路1255号
邮　　编：410153
版　　次：2021 年 12 月第 1 版
印　　次：2021 年 12 月第 1 次印刷
开　　本：787mm×1092mm　1/16
印　　张：4.25
字　　数：53 千字
书　　号：ISBN 978-7-5710-0960-1
定　　价：38.00 元

（版权所有·翻印必究）

蝉蜕图鉴

蚱蝉

胡蝉

胡蝉的触角

斑透翅蝉

斑透翅蝉的触角

蚱蝉的“肚脐眼”

蚱蝉的特征是，在中足与后足之间，有个像肚脐眼的突出物。

斑透翅蝉与胡蝉的辨别方法

胡蝉（左）的触角，从根部数起第 3 节的长度，比第 2 节长（约 1.5 倍）。斑透翅蝉则是几乎一样长。

蟪蛄

蟪蛄是圆圆的形状，全身沾满了泥。

螗蝉

松寒蝉

不管是哪种蝉，只要看蝉蜕的尾部，就能知道雌雄。

雌蝉

雌蝉可以看到像一条筋似的产卵管。

雄蝉

黑日宁蝉

姬草蝉

收集蝉蜕

要把蝉蜕带回家时，应该一个一个分开装。因为混放在一起的话，触角和脚会断掉的。要选择与蝉蜕大小正合适的盒子，保证蝉蜕在盒子里不会因为晃动而损坏。

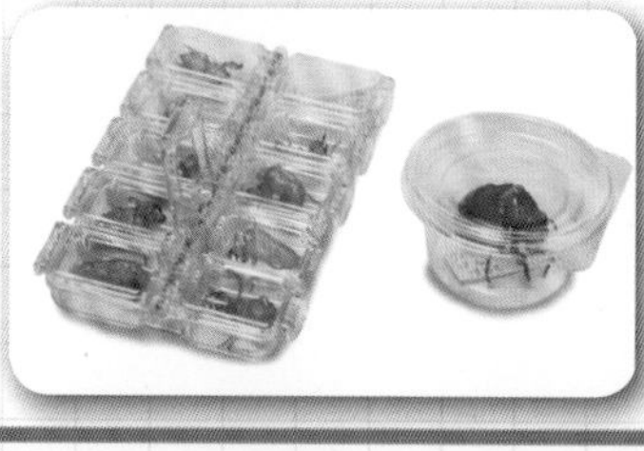

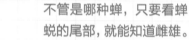

饲养蝉的若虫

若虫居住在地下 15~20 厘米深的土里。挖到之后，可以饲养在种有芦荟或土豆生根的容器里。

在饲养盒里装入赤玉土，种上芦荟。过半个月到 1 个月，它的根就会沿着盒子的壁伸展开来。盒子放在晒不到直射阳光的明亮处。顺利的话，若虫的地穴"小屋"也可能会做在盒子的壁边。与自然环境相比，饲养条件下蝉的若虫期会缩短。

蝉的玩具
嗡嗡蝉

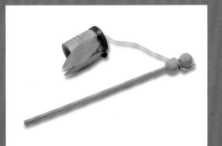

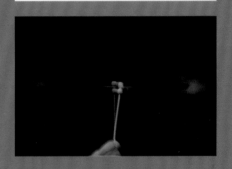

拿着竹杆抡起来，线的一头上拴的蝉形玩偶上的膜受到振动，会发出"啾啾♪"的声音。有的会在竹杆系绳的地方，涂上松脂。

这是我们的真实大小哦！

蚱蝉

松寒蝉

蟪蛄

胡蝉

黑日宁蝉

斑透翅蝉

蟪蝉

姬草蝉

×1